Écrit par : Nicole Lebel et Francis Turenne
Illustré par : Francis Turenne
Révision des textes : Liara-Caroline Brault

Phil & Sophie : Je suis courageuse
ISBN : 978-2-924044-16-2
Dépôt Légal - Bibliothèque et Archives Nationale du Québec, 2012
Dépôt Légal - Bibliothèque et Archives Canada, 2012

Imprimé au Canada

Créé et publié par Fablus

Fablus.ca

je suis courageuse

Sophie est en route vers son cours de natation.
Elle tremble et a envie de pleurer,
car elle a très peur.

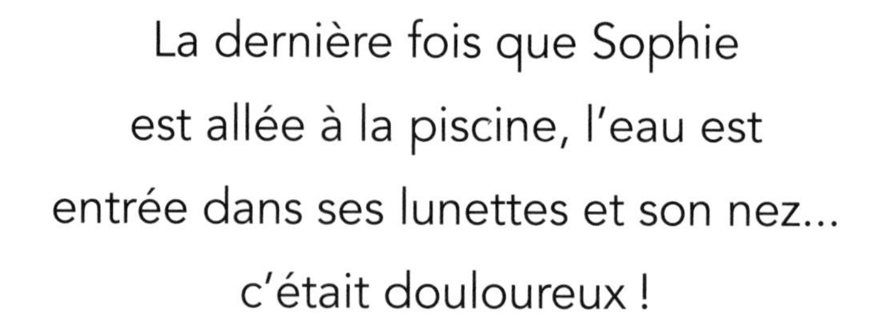

La dernière fois que Sophie
est allée à la piscine, l'eau est
entrée dans ses lunettes et son nez...
c'était douloureux !

Maintenant qu'elle se tient au bord de la piscine, Sophie grelotte, elle a la frousse, son cœur bat la chamade…

Phil qui patauge déjà dans l'eau,
se rappelle avoir déjà eu très peur lui aussi
lorsqu'il a appris à faire du vélo.

À ce moment-là, un ami lui avait conseillé
de s'asseoir, de prendre une grande inspiration,
de fermer les yeux et de s'imaginer clairement
en train de réussir sa balade à vélo.

Il avait de loin préféré s'imaginer triomphant
sur sa monture, que dégringolant
au sol après une vilaine chute !

Ces belles images lui avaient donné
le courage de chevaucher sa bicyclette.
Il avait alors ressenti une immense fierté
d'avoir ignoré ses pensées négatives,
qui lui inspiraient de la peur.

Voyant que Sophie tremble de peur,
Phil lui fait part du truc fantastique de son ami :
« Imagine-toi en train de nager comme
une championne, lui dit-il. »

Sophie ferme les yeux et s'imagine
comme une sirène dans la piscine.
Elle se sent déjà mieux !

Grâce à ces belles pensées,
Sophie s'élance en toute sécurité
et a confiance en son courage.

Elle se sent vraiment soulagée et très fière d'elle en suivant Phil dans la piscine.

Fais comme Sophie et choisis de t'imaginer en train de réussir les défis que tu rencontres. Choisis d'agir avec courage !

Ministoires[MD] à colorier et certificats gratuits sur fablus.ca

fablus.ca